5月10日 午前10時

昆布といりこと、梅醤番茶。
これが1歳や2歳の子のおやつなんですって！
どうして？

# 玄米が現代人の体を守り社会を変える

「見てください。この写真を」

高取保育園の園長、西福江さんの講演を初めて聞いたとき、その締めくくりに驚かされた。園児が排便したウンチの写真をプロジェクターで大きく映し出したのだ。「出すことあっての食べること」「灰がたまったストーブでは、まきは燃えない」。同園設立以来ずっと食育の必要性を訴え続けてきた西園長。「りっぱなウンチをする」ということが、いかに食と深くかかわっており、健康のバロメーターになっているかを考えさせられる内容だった。

無農薬有機栽培の農作物を取り寄せ、玄米和食にこだわり続けて37年。高取保育園の給食では1歳児から主食に玄米を食べさせている。おかずは、皮付きのゴボウなどが入った具だくさんのみそ汁や、昆布とカツオ節でしっかり出汁《だし》をとった旬の野菜の煮物、しらすやゴマをまぜ、ひと手間加えた納豆…。化学調味料はいっさい使用せず、味噌《みそ》は1年分を園児と一緒に仕込む。同園のモットーは体験、体感させる「実学的保育」。味噌だけでなく、梅干し、ラッキョウ、干し柿、たくあんなどの保存食も自分たちでつくる。

高取の園児たちは、体全体を使ってよく遊び、よく笑う。午前10時。1歳児後半の部屋では、三年番茶に梅と醤油《しょうゆ》を少量加えた梅醤《うめしょう》番茶と昆布、いりこでおやつの時間。砂糖たっぷりの甘いものがおやつとは限らない。いつの間にか、菓子メーカーや大人たちが、そんな定義をつくってしまった。お昼は定番の玄米和食。「ご一緒に手をそーっと合わせましょ。１００回かんで食べましょう。おいしいお食事ありがとうございます。いただきます。どうぞめしあがれ」。麦、ヒエ、アワ、キビなどの穀物を入れて炊いた玄米と野菜、海草中心の給食に笑みがこぼれ

5月11日の給食

メニューは、
黒豆入り玄米ご飯
卯の花の炒り煮
小松菜とキャベツの和え物
しめじと玉ねぎとわかめのみそ汁
にら納豆

野菜たっぷり、海藻たっぷり、
豆たっぷり、玄米たっぷり。
でも、油、砂糖、卵、肉、添加物はゼロ。
元気が出るごはんです。

る園児たち。お子様ランチに盛られたようなおかずは、そこにはない。「おなかペコペコの状態で、本物の食材と調味料を使った手作りの給食やおやつを食べさせ、舌に味覚を刷り込んでいるんです。何より『空腹は最高のごちそう』って言うでしょ」と主任の吉富キヨ子さん。学校給食などでは食べ残しの代表格ともいわれるような「地味なおかず」をパクつく園児たちの姿に、「なるほど」と納得させられる。

うちの長女（3歳）も同園でお世話になっている。園の理念と給食のおいしさに触発され、我が家の食卓も2年前から玄米和食に変わった。朝は親子で納豆の取り合い、圧力鍋で炊いた玄米ご飯をかきこみながらイワシの頭にかぶりつく長女。ホウレンソウのおひたしは、赤い根っこの部分から消えてゆく。効果は毎朝の排便だけではない。疲れやすく、年に4、5回風邪をひいていた私も、いつの間にか、病気知らずの強い体に変わった。

いま、食育ブームという。だが、世の中は添加物まみれの加工食品や輸入農産物にあふれている。生産者の汗や苦労、料理を作る人の顔は見えにくい。何をどうしたらいいのか。もし、とまどっている人がいたら、玄米を炊くことから始めてみてはどうだろうか。できれば親子一緒に。

「昭和30年代の子育ての姿を、食卓風景を、取り戻す運動をしたい」（西園長）。玄米が弱りきった現代人の体を守り、社会を変える。西園長が追い続けてきた、そんな時代が再び来ることを信じている。

西日本新聞社　安武信吾

わ。食べてる、食べてる。
にこにこ、ぱくぱく。すごい勢い。

# 高取保育園が玄米和食給食を始めた理由

高取保育園園長・西福江

昭和30年代から食の洋風化が進み、日本人の食事が大きく変化しています。古来より日本人が取ってきた、穀物や野菜を使った煮物中心の食事は忘れ去られ、代わりに肉、油、卵、乳製品、砂糖を多く使った高カロリー、高たんぱく、高脂肪の食事が増え、また、インスタント食品、スナック菓子、清涼飲料水の摂取量も増加する一方です。

食の変化は私たちに何をもたらしたのでしょうか。

がんや生活習慣病は急増、低年齢化しています。子どもたちの身にも、皮膚がかさついたり、ちょっとした刺激でもかぶれる過敏性体質、風邪をひきやすい、中耳炎を繰り返すなどのアレルギー疾患が、年を追うごとに増えてきました。

高取保育園は、昭和43年に開園。食物アレルギーの子を持ち悩む親たちをはじめ、地域とともに、その解決策や食育のあり方を探り続けました。

給食には、無農薬、低農薬の有機栽培で育った玄米、旬の野菜、調味料は無添加、自然醸造の厳選されたものを使い、和食中心の食事を実践しています。子ども一人ひとりの対応を父母と話し合いながら、受け入れを続けていますが、玄米和食を食べ続けるうちに症状は軽減しています。

保育に携わる者として、アレルギーを持つ子どもたちをお預かりすることで、改めて食の大切さに気づかされます。食の変化によって明らかになったことは、「食」と「命」がいかに密接な関係にあるか、ということではないでしょうか。

「食は命なり」。食事は体づくりの基盤であり、味覚の形成や人格形成にまで深い影響を与える。つまり、健康な心と体は、毎日の食生活の積み重ねからつくられていく――。私たちはそう考えています。

高取保育園で実践している食事の、基本的な考え方は次の通りです。

## 高取保育園の基本食

『伝統の食べ物（身土不二）を取る』

先祖伝来の食べ物、日本の季節、風土によくあったものを食べる。

『季節のものを取る』

旬のものを食べるのが一番。自然は、冬は体を温め、夏は体を冷やす食べ物を与えてくれる。

『主食は玄米』

国内産の穀物（米・麦・粟・ひえ・きびなど）を取る。

『一物全体《いちぶつぜんたい》（丸ごと食べる）』

魚なら頭からしっぽまで、野菜は根も葉も丸ごと食べる。皮を捨てず、あく抜き、湯でこぼしせず料理する。

『正しい食べ方』

腹八分目で、一口60～１００回噛《か》むこと。

『感謝の心でいただく』

## 命あるものを食する。玄米は生きている

玄米は、水にひたしておくと約1週間で発芽します（胚芽の部分から芽が出る）。一方、白米を同じ条件で水にひたしておくと腐ってカビが生えてきます。玄米は「生きている米」なのです。

このように命あるものを毎日の食事に取り入れ、生命力あふれる食べ物を選んでいくことは、健康に過ごすための基本であると考えています。

ささやかな活動かも知れませんが、命輝く子どもたちの未来が明るくなるよう、父母と一緒に、これからも玄米和食給食を実践していきたいと思います。

# ゼロから始める玄米生活

## ～高取保育園の食育実践レシピ集～


高取保育園はなぜ玄米給食?　8
高取保育園の基本食
命あるものを食する。玄米は生きている

玄米食を始める前に　12
知っておきたいこと。Q&A
玄米は理想的なバランス栄養食
固い?面倒?消化が悪い?など

簡単に、よりおいしく炊くコツ　14

圧力鍋と土鍋　16

1 玄米ごはんと混ぜるだけ
枝豆と梅の混ぜごはん　20
高菜ちりめんおにぎり　22
手作りゆかりのおにぎり　24
残り野菜の吹き寄せごはん　26

2 玄米と一緒に炊いてできあがり
大根サイコロごはん　28
赤黄緑のカラフルごはん　30
ビタミンいっぱいにんじんごはん　32
ほんのり甘いコーンごはん　34
子どもがよろこぶ甘おこわ　36
お好み具材で中華おこわ　38

3
玄米ごはんの楽しいアレンジ
カリっとねぎ焼きおにぎり 40
季節のちらし寿し・夏 42
ふたり並んでおひな寿し 44

4
残った玄米ごはんを使って
お肉なしでもおいしいチャーハン 50
お好み焼き風玄米おやき 52
何でもつめちゃえ玄米春巻 54
山芋とろろのふわふわ雑炊 56

5
汁もの・スープの健康レシピ
余った野菜で作るおみそ汁4種 62
夏バテ知らずの冷や汁 64
玄米ポタージュ※バター、牛乳、小麦粉不使用 66
かつおだしの中華風スープ 68
豆乳シチュー※バター、牛乳、小麦粉不使用 70
体ぽかぽかのっぺい汁 72


［コラム］


玄米と相性抜群！
納豆を手軽においしくアレンジ 46
栄養満点の米ぬかふりかけ 58
みそ汁は日本人にとって最高の発酵食品 61
高取保育園の四季の献立 74
高取保育園の使用食材購入リスト 76
玄米が買える無農薬栽培の農家 77
玄米が買える小売店・宅配・産直グループ 78

# Q&A

# 玄米食を始める前に知っておきたいこと。

## たっぷりのビタミンが若い体をつくる

玄米の特徴は、新陳代謝を高め、エネルギーを生成する力となるビタミンB群を豊富に含んでいること。胚芽にはビタミンEが多く、ホルモンの分泌を促し、細胞の若さを保ちます。

## 独特の歯ごたえがおいしさの秘密

ぬか層の歯ごたえも魅力の一つ。かめばかむほど唾液が分泌され、甘みが増すのです。また、脳とともに臓器の働きを活発にしてくれるのも、この歯ごたえがあるからなのです。

## 玄米は理想的なバランス栄養食

### 食物繊維やミネラルが豊富

白米の約6倍も含まれる食物繊維や、カルシウム、鉄分などのミネラル類など、白米に比べ、玄米の栄養価は総じて高いことがわかっています。その理由は、ぬかと胚芽。ぬか層には優れた栄養素が蓄えられており、精米してぬか層を取り除いてしまう白米と、丸ごと吸収できる玄米とは、ここで差がつくのです。

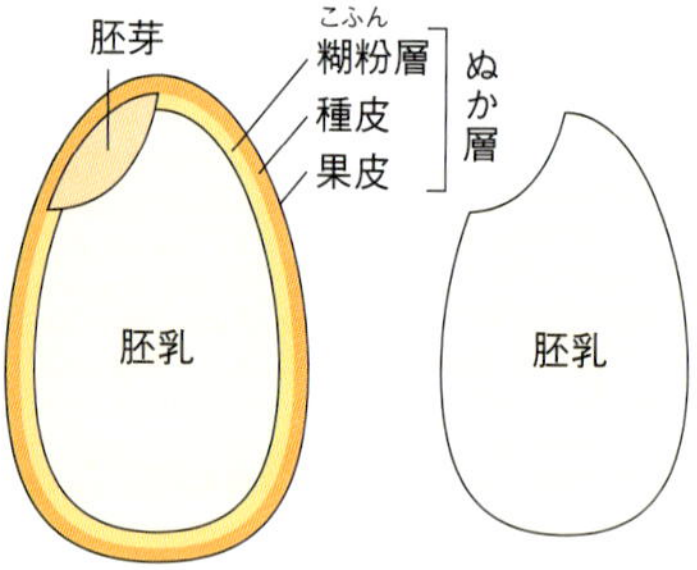


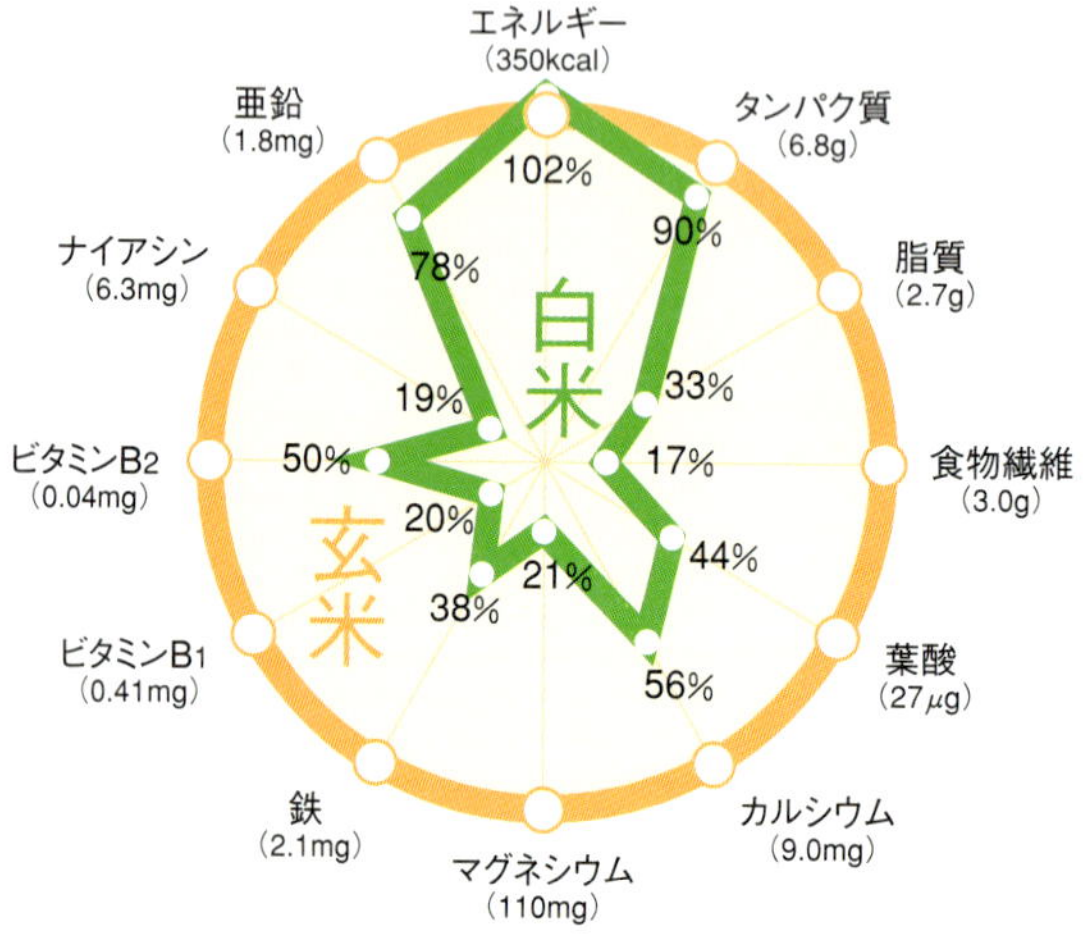


**玄米と精白米の栄養比較（米100g当たり）**

科学技術庁資源調査会編
「五訂増補 日本食品標準成分表」より

## 玄米に関するよくある質問に西園長がお答えします。

### 硬いイメージがあります。消化も悪いのですか？

玄米が硬いのはぬか層があるためですが、水の量、水につける時間、炊き方によって軟らかくなります。精米して3分づき、7分づき（数字が大きいほどぬか層が少なく白米に近い）にする方もいますが、ぬか層は食物繊維のかたまり。さまざまな作用がありますから、ぜひ精米せずに食べてください。消化・吸収を良くするには、玄米に限らず、やはりよく噛むことです。噛むことで血液中の糖分が増え、脳の満腹中枢を刺激し、食べ過ぎ防止やダイエットにも役立ちます。

### 炊き方がわかりません

白米とほぼ同じ炊き方なので、心配無用ですよ。14ページ以降に詳しく紹介しています。ぜひ参考にしてみてください。

### スーパーではあまり見かけません…

米穀店や自然食品店、生協などで販売されています。徐々に玄米を取り扱うスーパーも増えているようです。77ページ以降で購入先の一部を紹介しています。

### 精米しないと農薬が残るのでは？

毎日の主食となる米です。ぜひ安心して食べられる無農薬有機栽培の玄米を選んでください。近所の米穀店などで売られている玄米でも構いません。ぬかにはさまざまな化学物質を体外に排出する力があると言われています。

### 価格が高いのはなぜ？

玄米が高いというよりも、販売店間の競争などで安い白米が出回っているため、割高に感じられるのではないでしょうか。米は精米すると酸化が始まります。玄米はおいしさが長持ちするのです。

### 毎日食べないといけないのでしょうか

薬のように、何が何でも毎日食べなきゃ！と考える必要はありませんよ。楽しく、おいしくいただきましょう。噛むほどに甘みが増し、おいしいと思うようになるはずです。食べ慣れると、白米の味や食感が物足りなく感じてしまうかもしれません。

# 玄米を簡単に、よりおいしく炊くコツ

水加減が難しそう、時間がかかる？
そんなことはありません。実は、意外に簡単なんですよ。
ポイントは炊き方。
誰でも簡単にふっくらもちもちに仕上がるコツをいくつかご紹介します。
これを参考に、水加減や火加減を変えながら炊いてみて、
好みの柔らかさを見つけましょう。

## 前準備編

洗　う…　表面に傷をつけるつもりで、
ざるにこすりつけて洗います。
これを3～4回繰り返しましょう。
水分が浸透しやすくなり、
炊きあがりが柔らかになります。
玄米は乾燥していますから、
最初に洗う時の水を最も吸収します。できるだけきれいな水を使いましょう。

道　具…おすすめするのは、もちもち感と甘みがでる圧力鍋。
準備時間も火にかける時間も少なくてすみます。
最近は1～2人用の小さい土鍋を使って
少量ずつ炊く人も多いようです。
玄米モード付きの電気炊飯器もあります。

水にひたす…圧力鍋で炊く場合は、水につけ置きをしなくても構いません。
土鍋や電気炊飯器であれば、
一晩（8時間程度）つけておくと軟らかく仕上がります。

塩加減…玄米は塩を入れて炊きます。玄米にはカリウムが
多く含まれていて、独特の苦味が少し出る場合があります。
そこに塩を加えると、塩に含まれるナトリウムで中和され
炊き上がりがおいしくなります。目安は3合でひとつまみ。
できるだけ自然塩を使いましょう。

水加減…圧力鍋は玄米の量の1・3倍を目安に。
まずは、それぞれの道具の説明書通りに炊いてみましょう。

**柔らかく炊きたい方は、**
① ざるでしっかり洗う
② 圧力鍋か土鍋を使う
③ 水につけておく
④ 少し水を多めにして炊く
⑤ 炊く時間を少し長く
**が、ポイントです！**

高取保育園の主任栄養士
三隅恵美先生

## 炊き方・圧力鍋編

1

ふたをしっかり閉め、火にかけます。
始めは強火（写真A）にします。
圧力がかかり始めるとシューという音がして
湯気が出てきます。

2

おもりが回り始めてから、
（水の量によっては回らないこともある）
また、おもりがないピン式の圧力鍋の場合、
ピンが上がってから（写真B）
1分ほどそのままにし、圧をしっかりかけたら
弱火にして（写真C）※20分ほど炊きます。

3

最後に30秒ほど強火にして
水分を飛ばし、火を止めます。
まだ圧力がかかった状態なので
ここでふたを開けてはいけません。

A

B

C

D

4 おもり式の場合は15分※ほど蒸らし（自然冷却）ピン式の場合はピンが下がったら、ふたを開けます。
おいしく炊けたかどうかは表面にできた穴（写真D）でわかります。
しゃもじで天地返しをして、いただきましょう。

## 炊き方・土鍋（炊飯用・中ぶた付き）編

1 中火※にかけ（写真E）、沸騰したら少し火を強め※鍋の中に対流を作ってから弱火（写真F）にします。

2 鍋のふたにある穴を菜箸※などでふさぎ約40分※ほど炊きます。火加減が強いと焦げやすいので注意を。（においで判断）

3 最後に30秒ほど強火（写真G）にして水分を飛ばし、火を止めます。10分ほど蒸らしてから、天地返しをします。

※掲載している火加減や時間、菜箸でふさぐやり方などは、製品によって異なる場合があります。取扱説明書を参考にしながら数回炊き、自分の好みの軟らかさ、味を見つけましょう。

 商品協力／博多大丸・福岡天神店　福岡市中央区天神1-4-1　tel.092-712-8181

# ゼロから始める
# 玄米生活

## レシピ編

この本で使用している
計量カップおよびスプーンは

計量カップ
**200cc**

計量スプーン 大さじ
**15cc**

計量スプーン 小さじ
**5cc**

玄米1合は
**180cc**

# 枝豆と梅の混ぜごはん

おつまみで残った枝豆を
簡単調理、ひと工夫。
梅のすっきり、ごまの風味。
豆と玄米の甘さも効いて、
ついつい
おかわりしちゃいます。

[材料] 4人分

玄米ごはん…茶碗4杯
枝豆…お好みで
梅干し…4個分
すりごま…お好みで

1、沸騰したお湯に塩を入れ、枝豆を茹《ゆ》で、豆を出しておく。残った枝豆を使う時は、レンジで温めておく。

2、梅干しは種を出し、たたいて梅肉にしておく。

3、炊き上がった玄米ごはんに1、2、すりごまを加え混ぜる。

# 高菜ちりめんおにぎり

何だろう、この優しい味は。
そうだ高菜が違うんだ。
漬け物はあなどれない。
漬け物こそあなどれない。
じわじわにじむ酸味と深み。
手作りの良品買えば、おにぎり一変。

［材料］おにぎり8個分
玄米ごはん…茶碗4杯
高菜漬け…お好みで
ちりめん…1／2カップ
すりごま…お好みで
しょうゆ…大さじ1
ごま油…大さじ1

1、高菜漬けを刻む。

2、フライパンにごま油を入れ、ちりめんを炒める。

3、2に高菜を加え、しょうゆで味付けをし、すりごまを加える。

4、玄米ごはんに3を入れて混ぜ、おにぎりにして出来上がり。

1 玄米ごはんと混ぜるだけ

# 手づくりゆかりのおにぎり

梅を食べたら、しそは捨てる？
待って。
晴れの日あれば広げましょう。
乾きます。でも生きてます。
ゆかりであってゆかりじゃない。
生きたゆかりはふた味違う。

［材料］おにぎり8個分
玄米ごはん…茶碗4杯
梅じそ…お好みで

1、クッキングシートの上に梅じそを広げ、55〜60℃のオーブンで2時間乾燥させる。（高いと焦げるので注意）。

2、さらに1を天日干しし乾燥させる。

3、2をフードカッターで細かくする。

4、細かくしたゆかりを玄米ごはんに混ぜ、おにぎりにしたら出来上がり。

※梅じそをよく絞っておくと早く乾燥します。
※ゆかりは、晴天の日が3〜4日続くようであれば、天日干しのみでもできます。
※フードカッターがなければミルやすり鉢でもよい。
※残ったゆかりは冷凍庫に保存できる。

# 残り野菜の吹き寄せごはん

材料も手順も多く見えるけど
要は、冷蔵庫から
引っぱり出した残り野菜を
煮て、混ぜるだけ。
お客さんには絶対バレない
バランス健康食。

［材料］6杯分

玄米…3カップ
さといも…4個
干ししいたけ…4枚
油揚げ…2枚
ごま油…小さじ1
しょうゆ…大さじ4
みりん…大さじ3
にんじん…1／2本
いんげん…8本
ぎんなん…30個

1、干ししいたけを水につけて戻し、千切りにする。戻し汁はとっておく。

2、さといもは1センチ角に切る。油あげは油抜きをして千切り。

3、鍋にごま油をひき、1、2を軽く炒め、しいたけの戻し汁、しょうゆ、みりんを入れて煮る。少し濃い目に味付けをしておく。

4、3の煮汁に水を加え、合計5カップにし、玄米を炊く。

5、ごはんを炊いている間に、ぎんなんを乾煎りして皮をむき、にんじんを小さく刻み、塩茹でする。いんげんも塩茹でする。

6、ごはんが炊き上がったら3の具を混ぜ込み、5を飾ってできあがり。

※春はたけのこ、わらび、菜の花、つくしなど旬の野菜を入れてみて。

*2* 玄米と一緒に炊いてできあがり

# 大根サイコロごはん

玄米との相性よし、食感よし。
ヘルシー大根でかさが増え
女性にとってさらによし。
栄養価が高い大根葉と
ちょっとおこげが加われば
歯ごたえ、香ばしさが絶妙です。

［材料］6杯分

玄米…3カップ
大根…1／2本
塩…大さじ1
大根の葉…大根1本分

1、大根を1センチ角のさいの目に切る。

2、玄米、大根、塩を入れ炊く。

3、大根の葉を洗い、沸騰したお湯に塩を入れ、さっと茹でる。

4、茹でた大根の葉を刻み、3に混ぜる。

# 赤黄緑のカラフルごはん

根菜が余ったら
この際、全部入れてみる。
かぼちゃを多めに
ほっこり甘めに。
今日はカラフルごはんよ！
子どもが急にいい子になった。

［材料］6杯分

玄米…3カップ
かぼちゃ…1／4個
玉ねぎ…1個
にんじん…1／2本
塩…小さじ1／2
グリーンピース…40g

1、野菜を1センチ角に切る。

2、玄米、1の野菜を入れて炊く。

3、グリーンピースをむく。沸騰したお湯に塩と豆を入れ、茹でる。

4、炊き上がったごはんに3を散らしてできあがり。

2 玄米と一緒に炊いてできあがり

2 玄米と一緒に炊いてできあがり

# ビタミンいっぱい人参ごはん

いろんなおかずを作らなくても
納豆とみそ汁と人参ごはん、
これさえあれば栄養満点。
ちりめん、昆布、ごまと塩。
シンプルだからこそ
できればいいもの選びたい。

［材料］6杯分
玄米…3カップ
にんじん…2本
ちりめん…1カップ
昆布…5g
ごま…お好みで
薄口しょうゆ…大さじ2
酒…大さじ2
塩…少々

1、にんじんは短めの千切りにする。

2、昆布ははさみで薄く切る。

3、1、2、しょうゆ、酒、塩、ちりめんを入れ、炊く。

4、炊き上がったら、ごまをまぶして出来上がり。

# ほんのり甘いコーンごはん

写真だけでごめんなさい。
できれば香りもお届けしたい。
ふたを開けたその瞬間…
その瞬間にすべてがわかる。
地味じゃない。
これが本当の滋味料理。

［材料］６杯分
玄米…３カップ
とうもろこし（生）…１本
塩…小さじ１／２

1、とうもろこしの身を包丁で削ぎ落とす。
2、玄米、1、塩を入れて炊く。

2 玄米と一緒に炊いてできあがり

2 玄米と一緒に炊いてできあがり

# 子どもがよろこぶ甘おこわ

カルシウムをはじめ、
鉄分やカリウム、
ビタミンB1、B2。
栄養豊富な金時豆で
元気な子になりますようにと
お祝いごはん。

［材料］6杯分
玄米…3カップ
金時豆…1／2カップ
砂糖…1／2カップ
※できれば精白されていない砂糖を選びましょう
塩…小さじ1／2程度

1、金時豆をよく洗い、3倍の水に6時間程度つけておく（前の夜からつけてもよい）。

2、金時豆を圧力鍋でシューというまで炊き、すぐ火を止める。

3、10分ほど冷まし、蓋を開け、半分の量の砂糖と塩を入れてかき混ぜる。残りの砂糖を入れ、荒熱がとれるまで置いておく。

4、圧力鍋に玄米と金時豆を入れ、豆の煮汁と水、合計4カップ分を入れて炊く。

※時間がない時は、2で火を止めず、約3分弱火にし、鍋に上から冷水にかけると、圧が下がり、すぐにふたを開けることができる。

※時間がある時は、金時豆を一度煮こぼしすると、皮のアクがとれておいしくなる。

# お好み具材で中華おこわ

玄米を軽く炒めて
野菜と一緒に炊き込みます。
えびの風味に、しょうゆの香り。
野菜の甘みとにんにく、しょうが。
いろんな味が絡み合い、
食欲が増す一品です。

［材料］6杯分

玄米…3カップ
にんじん…1／2本
干ししいたけ…4枚
干しえび…10g
高野豆腐…2枚
たけのこ…小1個
しょうが…お好みで
にんにく…お好みで
ごま油…大さじ1
干ししいたけの戻し汁、
濃口しょうゆ、えびの戻し汁
…合計4カップ

※お好みで、豆類やナッツ類、ぎんなん、くこの実、くりなどを入れてもおいしい

1、しょうが、にんにくをみじん切りする。

2、にんじん、しいたけ、たけのこ、高野豆腐を1センチ角に切る。干しえび、干ししいたけは水に戻しておく。戻し汁はとっておく。

3、空の圧力鍋（土鍋）を火にかけ、鍋が温まったらごま油を入れ、しょうが、にんにくを炒める。

4、2の材料を入れて炒める。

5、玄米も入れてよく炒めてから、干しえびの戻し汁とだし汁、しょうゆを入れて炊く。

2
玄米と一緒に炊いてできあがり

# カリっとねぎ焼きおにぎり

おいしくないわけがない。
玄米と、三種の神器(?)の
みそ、ごま、みりんを合わせ焼き。
香ばしいかおりが広がると
まだかまだかの大合唱。
盛り上げ上手な、焼きおにぎり。

［材料］おにぎり10個分

玄米ごはん…4杯
ねぎ…30g
みそ…50g
みりん…大さじ2
すりごま…お好みで

1、ねぎをみじん切りにする。

2、鍋にみそ、みりんを入れ弱火にかけ、軽くなじませる。

3、2にねぎ、すりごまを加え、火にかけたまま5分ほど混ぜ、味をなじませる。

4、おにぎりを作り、3のみそを塗る。その間にオーブントースターを180度に温めておく。

5、温めたオーブントースターにおにぎりを並べ、表面が少し焦げるまで焼く（約6～7分）。さらに、途中で刻んだねぎを乗せると焼き上がりがきれいに見える。

※余ったら冷蔵庫へ。2週間は保存できます。

# 季節のちらし寿し・夏

食欲がない季節には
たっぷりの夏野菜や
さわやかな酸味と
赤色が美しい梅酢を使って
清涼感あふれる一品を。
混ぜれば完成のお手軽料理です。

［材料］ 4人分

玄米ごはん…4杯
梅酢（梅干しの漬け汁）…1／4カップ
※なければたたいた梅干しでもＯＫ
きゅうり…1本
トマト…2個
みょうが…5個
大葉…20枚
すりごま…お好みで
※あれば、ちりめんやきざみのり…お好みで

1、玄米ごはんに梅酢（またはたたいた梅干し）を混ぜ、酢飯を作る。砂糖を使わないのがポイント。

2、きゅうり、トマトは1センチ角に切る。

3、みょうが、大葉は千切りにして水にさらす。

4、玄米ごはんに2、3、すりごまを入れて混ぜたら出来上がり。

※ちりめんを入れる時は、から炒りしてから加える。

# ふたり並んでおひな寿し

親子で楽しむ手料理クラブ。
顔は、卵の代わりにさといもで
着物は、ほんのり甘い油揚げ。
アレルギーの子どもも
安心して食べられます。

［材料］

寿司めし　玄米ごはん…1杯
　　　　　梅酢…小さじ1
お内裏様　高菜漬け…1〜2枚
お雛様　油揚げ…1枚
　　　　酒…大さじ1
　　　　みりん…大さじ1
　　　　しょうゆ…大さじ1

顔　さといも
目　ごま
口　梅干し
頭　のり
扇子　にんじん

1、炊き立ての玄米ごはんに梅酢を混ぜておにぎりを2個作る。

2、油揚げを酒、みりん、しょうゆで煮て、いなりの皮をつくる。

3、さといも、にんじんは塩茹でし、顔や扇子の形にする。

4、さといもをベースに顔を作る。

5、おにぎりを高菜漬けといなりの皮でそれぞれ包み、飾り付けをしたら出来上がり。

※梅酢は赤梅酢、白梅酢のどちらでもよい。殺菌作用があるので、薄めてお弁当の表面にかけると腐敗防止シートの役割がある。

※高取保育園では「さとう」「たまご」を使いませんが、顔や着物は「たまご」や「紅しょうが」など身近な材料を使って工夫してみましょう。

column

# 納豆

## ねばねばの糸の中に酵素がたっぷり

納豆の中に含まれるナットウキナーゼは、血栓を溶かしたり、血管の老化を防いだり、コレステロールを流したり、抗菌作用があったり…。そのほかにもたくさんの効果があるといわれています。

　脳血栓や高血圧、骨粗しょう症、動脈硬化、O―157などを予防してくれる食品として、保育園では毎日必ず、給食に出しています。

　園児たちはみんな納豆が大好き。その秘密はトッピングです。季節の野菜や海藻、ごま、のり、きのこなどを混ぜ、味つけにはしょうゆやみそ、梅干しなどを使います。バリエーションが豊富なので、楽しんで食べてくれているようです。

　「畑からとれる”食薬“」。毎日1パックの納豆を食べてみませんか。

# 残った野菜、旬の野菜を組み合わせて納豆をおいしく食べましょう

しょうゆやみそ、
梅干しで味つけすると
納豆は本当においしくなる。
添加物がいっぱいの
市販のたれはいりません。
しらすやごま、
刻み野菜を加えると
毎日の納豆は
立派な一品になるのです。

**基本の組み合わせ**
納豆＋のり＋ごま＋しらす
味つけはしょうゆ、みそ、梅干しで

# 今日は どんな野菜を入れてみよう?

# お肉なしでも おいしいチャーハン

お肉の代わりに使うのは
小麦としょう油で作られた
せいたん、というヘルシー食材。
カロリーや脂肪を気にする方に
おすすめです。

〔材料〕4人分

残った玄米ごはん…4杯
にんにく…1かけ
しょうが…にんにくと同量
にんじん…1本
干ししいたけ…4個
油揚げ…4枚
もめん豆腐…1／2丁
ねぎ…1本
ごま油…大さじ1
塩…少々
こしょう…少々
しょうゆ…大さじ2
せいたん…40g

1、材料の下準備をする。
にんにく、しょうがにんじん、ねぎ　…みじん切り
干ししいたけ…水で戻して細かく切る
油揚げ　…油抜きして細かく切る
もめん豆腐　…水気を切っておく

2、鍋にごま油、にんにく、しょうがを入れ熱し、香りが出てきたらにんじん、干ししいたけ、せいたん、油揚げを加える。さらに、豆腐を手でつぶしながら加え、塩、こしょうで、味を調えながら炒める。

3、ごはんを入れ、しょうゆで味を整え、最後にねぎを加え火を止める。

せいたん…純粋植物性たんぱく質（小麦のグルテン）を天然醸造しょう油で、長時間煮詰めたもの。肉の代わりに使われ、カロリーや脂肪は少ないが、栄養価は高い。自然食品店等で購入できる。

4 残った玄米ごはんを使って

4 残った玄米ごはんを使って

# お好み焼き風玄米おやき

簡単・気軽な
残りものの活用術。
玄米ごはんといろんな野菜を
つないで混ぜて、焼きましょう。
玄米の風味が生きる
作って楽しい一品完成。

［材料］

残った玄米ごはん…2杯
キャベツ…1／4個
にんじん…1／2個
たまねぎ…1個
もやし…1袋
にら…1束
小麦粉…1カップ
塩…少々
だし汁…50ccほど
ごま油…お好みで
しょうゆ…大さじ2
みりん…大さじ2
かつお節…お好みで
青のり…お好みで
きざみのり…お好みで

1、野菜はすべてみじん切りにする。

2、ボールに玄米ごはん、野菜、小麦粉、塩を入れ、様子を見ながらだし汁を入れる。

3、小判型に形を整えながらフライパンで焼く。

4、しょうゆ、みりんをあわせたタレを塗り、お好みでかつお節、あおのり、きざみのりなどをふりかける。

※小麦が食べられない子どもは上新粉で。玄米がない時は残りごはんで代用できる。野菜も残ったものでOK。

# 何でもつめちゃえ玄米春巻

この本に載ってる
混ぜごはんや炊き込みごはん、
煮物だって何だって
残ったものを包み揚げ。
素材やだしをきっちりとっておけば
アレンジしても、やっぱりおいしい。

[材料]
残った玄米ごはん
煮物の残り
春巻の皮

1、残りごはんに、残った煮物（ひじき、切り干し大根、筑前煮など）を細かく刻んで混ぜ込む。味が足りない時は塩、こしょうで調える。

2、春巻の皮を1／4に切り、スプーン1杯を入れ、包んで油で揚げる。

4
残った玄米ごはんを使って

4 残った玄米ごはんを使って

# 山芋とろのふわふわ雑炊

鍋の後の仕上げの雑炊。
いつもとちょっと趣向を変えて
山芋すって入れてみよう。
とき卵より
もっとやさしい舌ざわり。
たぶん、きっと、くせになる。

［材料］
残った玄米ごはん
鍋の残り汁
やまいも
ねぎ

1、やまいもは皮をむき、すりおろしておく。

2、鍋の残り汁をあたため、ごはんを加える。

3、最後にやまいもを加え、ねぎを散らしたら出来上がり。

※鍋の残り汁がないときは、干ししいたけの戻し汁にしょうゆで味を調えたものでもよい。

# 米ぬか
# ふりかけ

## 米ぬかにいろんな食材を混ぜて
## 栄養バランスのとれた
## ふりかけを作ろう。

市販のふりかけの裏を見たことがありますか？　着色料や保存料のカタカナがたくさん。聞いたことはあるけど実物を見たことがない、いろいろな添加物。本当にこれでいいのでしょうか。

安心して食べられるふりかけを、ぬかを使って作ってみませんか？

保育園では、つぎわけられたごはんの上に、当番の子どもたちがスプーンでこのふりかけをかけていきます。かけ忘れると大変。「ふりかけがかかってない！」と大騒ぎになることも。「たくさんかけて！」と催促する子、いただきますをするとすぐにふりかけがかかった部分を先に食べてしまう子…。子どもたちは、この米ぬかふりかけが大好きなんです。

ビタミン、ミネラル、食物繊維が豊富なぬかは、お米屋さんでもらえたり、安くわけてもらうことができます。お得な健康食材なのです。ただし、気をつけてほしい点が1つ。ぬかは空気に触れたり、火を通すと酸化が進みます。新鮮なぬかを選び、ふりかけにした後は冷凍庫で保存しておきましょう。

今日は米ぬかに何を混ぜようかな？

基本の組み合わせ
米ぬか＋塩

column

# みそ汁

## みそ汁は日本人にとって最高の発酵食品です

発酵食品と聞いて一番に何を思い浮かべますか？　チーズ？　ヨーグルト？　いえいえ日本人ですもの、やっぱりみそですよね。炊いた大豆に塩と合わせ麹を混ぜ、大豆の煮汁で硬さの調節。園のみそは5歳児のみんなの手作りです。生きた乳酸菌の働きで、毎日快腸快便！

## 旬をおいしく。四季に合わせてみそ汁の具を変えてみよう

春…　あくの強い野草を食べて、冬の間にたまった老廃物を排出しましょう。

夏…　トマトやきゅうり、なすなどの夏野菜は体を冷やす効果があります。

秋…　木の実やいも類、きのこ類を食べ、冬に向けて寒さに負けない体をつくりましょう。

冬…　ごぼう、れんこん、大根などの根菜類は体を温めます。春菊、小松菜、ほうれんそう、白菜などで風邪予防のビタミンを取りましょう。

どんな野菜もみそ汁に合います。でも、だしはひと手間かけていりこ、昆布、かつお節でとりましょう。体がとても喜びます。

# 余った野菜でつくるおみそ汁

使い切れなかったいろんな野菜。
工夫しておかずの一品にするのもいいけれど、
迷った時はみそ汁に。
刻んで入れるだけ、そう思えば気楽でいいでしょ。

## なす

なすはみそと相性抜群。
暑い日のほてった体を
内側から冷やしてくれます。
［参考］
なす＋油揚げ。
油揚げが水分の多い野菜に
こくを加えます。

## だいこん

揚げ物や肉料理が主菜の時は
消化酵素・ジアスターゼが
多く含まれるだいこんを。
［参考］
だいこん＋にんじん＋油揚げ。
いつものみそ汁に
だいこんおろしを
加えるだけでもいいですよ。

## いも類

豚汁、つみれ汁、呉汁等、
いも類は
おいしいみそ汁の陰の主役。
［参考］
じゃがいも＋里芋
＋さつまいも。
主菜にボリュームが
足りない時に便利です。

## キャベツ

胃にやさしいキャベツは
火を通すと甘みが増します。
［参考］
春キャベツ＋たけのこ
＋玉ねぎ。
キャベツ＋もやし
＋にら（便秘解消）。
キャベツ＋玉ねぎ＋にんじん。

なす

いも類

だいこん

キャベツ

# 夏バテ知らずの冷や汁

宮崎名物、冷や汁で
夏を乗り切る体づくりを。
木のしゃもじにみそを盛り
コンロであぶるひと手間が
味をグッと引き立てます。
身近な魚で挑戦しましょう。

［材料］４人分

アジやカマス…１匹
（生・開き）
みそ…60ｇ
きゅうり…１本
豆腐…１／２丁
大葉…４枚
みょうが…２個
ごま…小さじ２
ごま油…お好みで
水…７２０cc

1、水を沸騰させ、冷ましておく。

2、魚を焼き、骨を取り除いてすり鉢でする（ミキサーでもＯＫ）

3、豆腐は水切りをし、きゅうりは輪切りにして水をさらし、ギュッと絞る。

4、大葉、みょうがは千切りにし、水にさらす。

5、みそは表面に軽く焼き色がつくまで火であぶる。

6、2の中にみそを入れ、よくすり、なめらかになったら水を入れ、味をみる。（味が良ければ、冷蔵庫でしばらく冷やすとおいしい）

7、ごま油、きゅうり、豆腐、大葉、みょうがを入れて、氷を入れて食べる。

# 玄米ポタージュ

※バター、牛乳、小麦粉不使用

簡単に言えば
野菜スープと玄米ごはんのピュレ。
玄米の食物繊維やビタミン、
ミネラルを取るために
裏ごしせずにいただきます。
手間いらずのポタージュです。

［材料］4人分
玄米ごはん…150g
たまねぎ…2個
にんじん…1本
なたね油…少々
だし汁…720cc
塩…少々
こしょう…少々

1、たまねぎは薄いスライス、にんじんは千切りにする。

2、なたね油で1を炒め、塩をひとつまみ入れて蒸し煮にする。

3、野菜から充分に水分が出てきたら、ミキサーに玄米ごはん、2、だし汁を入れてポタージュ状にする。

4、再度鍋に戻し、火にかけ、塩、こしょうで味を調える。

# かつおだしの中華風スープ

昔から受け継がれてきた
日本の逸品、かつおだし。
干しえびとごま油の風味と
はるさめの食感を加えて
中華風にアレンジします。
余った野菜も使ってみましょう。

［材料］ 4人分

干しえび…ひとにぎり
はるさめ…10g
干ししいたけ…4枚
ねぎ…1束
ごま油…小さじ2
塩…少々
こしょう…少々
かつおのだし汁…4カップ

1、干ししいたけ、干しえびを水で戻す。戻した汁はとっておく。

2、干ししいたけは食べやすい大きさに切り、ねぎはみじん切りにする。

3、鍋に干ししいたけ、干しえび、だし汁、1の戻し汁を入れ火にかける。沸騰したらはるさめを入れる。

4、温まったら塩、こしょう、ごま油で味を調え、器に盛り、最後にねぎを加える。

# 豆乳シチュー

※バター、牛乳、小麦粉不使用

お肉や乳製品を使わずに
コクを出す方法をお教えします。
決め手は、元気な野菜と
かつおと豆乳。
野菜と魚の底力を感じます。
煮物の楽しさを感じます。

［材料］ 4人分

にんじん…1本
玉ねぎ…3個
じゃがいも…3個
にんにく…1かけ
しょうが…10g
アスパラ…4本
ローリエ…2枚
かつおのだし汁…4カップ
米粉（上新粉）…1／3カップ
豆乳…2カップ
なたね油…小さじ1
塩、こしょう…少々

1、にんじん、たまねぎ、じゃがいもを一口大に切る。にんにく、しょうがはみじん切りにしておく。アスパラははかまを取り、塩茹でし食べやすい大きさに切っておく。

2、鍋に油、にんにく、しょうがを入れ炒める。

3、2ににんじん、玉ねぎを入れ軽く炒め、弱火にして塩をひとつまみ入れたら、ふたをして蒸し煮。野菜から十分に水分が出たら、じゃがいも、だし汁、ローリエを入れて煮込む。

4、じゃがいもに火が通ったら、水で溶いた上新粉を入れ、とろみをつける。

5、仕上げに豆乳を入れ、塩、こしょうで味を調える。器に盛り、アスパラを乗せたら出来上がり。

※アスパラの代わりに、ブロッコリー、ピーマンなどを入れてもよい。
※とろみがついてから豆乳を入れないと分離するので注意。

# 体ぽかぽかのっぺい汁

寒い季節やかぜをひいた時は
体を温めてくれる食材を。
のっぺい汁は、根菜類とくず粉で作る
具だくさんの煮込み汁。
栄養価の高い皮やへたも使うのが
和食の基本、食の基本。

［材料］4人分

ごぼう…1／2本
にんじん…1／2本
さといも…4個
干ししいたけ…4枚
水…4カップ
油揚げ…2枚
ねぎ…1本
しょうゆ…大さじ1~2
くず粉…少々
塩…少々

1、干ししいたけを水で戻す。もどし汁はとっておく。

2、ごぼうはささがきに。にんじん、さといも、干ししいたけは1センチ角に切る。油揚げも食べやすい大きさに切り、ねぎは小口切りにする。

3、鍋に2（ねぎ以外）としいたけのもどし汁を入れ、火にかける。

4、野菜に火が通ったら油あげを入れ、塩、しょうゆで味を調える。

5、水で溶いたくず粉を入れ、とろみをつけたら出来上がり。

※くず粉には体を温める作用がある。同じようにとろみをつける食材として用いる片栗粉には体を冷やす作用がある。

# 高取保育園の四季の献立（3歳未満児）

## 春

| | 昼食 | 赤：血や肉となる | 黄：熱や力となる | 緑：調子を整える |
|---|---|---|---|---|
| 月 | 小豆入り玄米ごはん<br>切り干し大根の炒り煮<br>豆腐とわかめのみそ汁<br>納豆 | あずき・油揚げ・かつお節<br>さば節・木綿豆腐・煮干し<br>生わかめ・甘みそ・麦みそ<br>糸引き納豆・焼きのり<br>しらす干し | 米・なたね油・ごま | 切り干しだいこん・にんじん<br>さやいんげん・乾しいたけ<br>きくらげ・ごぼう・葉ねぎ<br>玉ねぎ・キャベツ |
| 火 | 粟入り玄米ごはん<br>たけのこと手羽先の煮物<br>玉ねぎと油揚げのみそ汁<br>納豆 | 鶏手羽・生わかめ・油揚げ<br>煮干し・甘みそ・麦みそ<br>糸引き納豆・焼きのり<br>しらす干し | 米・あわ・なたね油・ごま | たけのこ・にんじん・玉ねぎ<br>さやえんどう・葉ねぎ<br>緑豆もやし |
| 水 | 餅きび入り玄米ごはん<br>さわらの塩焼き<br>早生キャベツの和え物<br>えのきと油揚げのみそ汁・納豆 | さわら・油揚げ・生わかめ<br>煮干し・甘みそ・麦みそ<br>糸引き納豆・焼きのり<br>しらす干し | 米・きび・ごま | アスパラガス・にんじん<br>レモン・えのきたけ<br>玉ねぎ・葉ねぎ・小松菜 |
| 木 | 餅きび入り三分米ごはん<br>豆腐のドライカレー<br>春雨サラダ<br>納豆 | 脱脂粉乳・甘みそ・麦みそ<br>木綿豆腐・生わかめ<br>糸引き納豆・焼きのり<br>しらす干し | 米・きび・じゃがいも<br>なたね油・普通はるさめ<br>ごま・ごま油 | 玉ねぎ・にんじん・りんご<br>にんにく・緑豆もやし<br>レモン・にら |
| 金 | 押し麦入り粟玄米ごはん<br>山菜煮<br>菜の花のみそ汁<br>納豆 | 生揚げ・油揚げ・生わかめ<br>煮干し・甘みそ・麦みそ<br>糸引き納豆・焼きのり<br>しらす干し | 米・押し麦・ごま | つわぶき・わらび・にんじん<br>乾しいたけ・和種なばな<br>玉ねぎ・葉ねぎ |

## 夏

| | 昼食 | 赤：血や肉となる | 黄：熱や力となる | 緑：調子を整える |
|---|---|---|---|---|
| 月 | 小豆入り玄米ごはん<br>にがうりとかぼちゃのみそ炒め<br>冷や汁<br>納豆 | 小豆・木綿豆腐<br>淡色辛みそ・まあじ<br>甘みそ・煮干し<br>糸引き納豆・焼きのり<br>しらす干し | 米・ごま・ごま油 | 日本かぼちゃ・にがうり<br>しそ・おくら |
| 火 | 黒豆入り玄米ごはん<br>大豆たんぱくの酢豚風<br>きゅうりとおきゅうとの酢の物<br>かぼちゃのみそ汁・納豆 | 粒状大豆たんぱく<br>ところてん・生わかめ<br>油揚げ・煮干し・甘みそ<br>麦みそ・糸引き納豆<br>焼きのり・しらす干し | 米・あわ・かたくり粉<br>なたね油・ごま・ごま油 | しょうが・玉ねぎ・にんじん<br>乾しいたけ・青ピーマン<br>赤ピーマン・きゅうり<br>小松菜・日本かぼちゃ<br>葉ねぎ |
| 水 | 餅きび入り玄米ごはん<br>さばの梅煮<br>ピーマンともやしのごま和え<br>なすのみそ汁・納豆 | まさば・生わかめ<br>かつお節・さば節<br>油揚げ・煮干し・甘みそ<br>麦みそ・糸引き納豆<br>焼きのり・しらす干し | 米・きび・ごま<br>ごまペースト | うめ・ごぼう・にんじん<br>青ピーマン・緑豆もやし<br>レモン・なす・葉ねぎ<br>小松菜 |
| 木 | ひじき入り粟玄米ごはん<br>高野豆腐の煮しめ<br>ゴーヤときゅうりの梅みそ和え<br>しめじのみそ汁・納豆 | 干しひじき・凍り豆腐<br>かつお節・生わかめ<br>煮干し・甘みそ<br>麦みそ・糸引き納豆<br>焼きのり・しらす干し | 米・あわ・ごま | にんじん・乾しいたけ<br>日本かぼちゃ・さやいんげん<br>きゅうり・うめ・にがうり<br>本しめじ・玉ねぎ<br>葉ねぎ・小松菜 |
| 金 | ひえ入り玄米ごはん<br>あじの南蛮漬け<br>小松菜と厚揚げの煮びたし<br>そうめん汁・納豆 | まあじ・生揚げ<br>生わかめ・糸引き納豆<br>焼きのり・しらす干し | 米・ひえ・小麦<br>なたね油・手延べそうめん<br>ひやむぎ・ごま | にんじん・玉ねぎ<br>青ピーマン・小松菜<br>根深ねぎ・乾しいたけ<br>おくら |

# 秋

| | 昼食 | 赤：血や肉となる | 黄：熱や力となる | 緑：調子を整える |
|---|---|---|---|---|
| 月 | 小豆入り玄米ごはん<br>ひじき煮<br>呉汁<br>納豆 | 小豆・干しひじき・油揚げ<br>大豆・麦みそ<br>糸引き納豆・焼きのり<br>しらす干し | 米・なたね油・さといも<br>ごま | さやいんげん・にんじん<br>乾しいたけ・大根<br>キャベツ |
| 火 | ひえ入り玄米ごはん<br>おからコロッケ<br>野菜のごま和え<br>きのこのみそ汁・納豆 | おから・麦みそ・甘みそ<br>煮干し・生わかめ<br>糸引き納豆・焼きのり<br>しらす干し | 米・ひえ・じゃがいも<br>中力粉・パン粉<br>なたね油・ごま・ごま油 | 玉ねぎ・さやいんげん<br>にんじん・乾しいたけ<br>れんこん・根深ねぎ<br>えのきたけ・本しめじ<br>葉ねぎ・緑豆もやし |
| 水 | ひえ入り玄米ごはん<br>さんまの蒲焼き<br>ほうれんそうのごま和え<br>豆腐とわかめのみそ汁・納豆 | さんま・木綿豆腐<br>麦みそ・甘みそ<br>煮干し・生わかめ<br>糸引き納豆・焼きのり<br>しらす干し | 米・ひえ・かたくり粉<br>なたね油・ごま | しょうが・ほうれんそう<br>にんじん・葉ねぎ<br>えのきたけ・にら |
| 木 | ひじき入り粟玄米ごはん<br>かぼちゃとこんにゃくの煮物<br>ごぼうとつみれのみそ汁<br>納豆 | 干しひじき・かつお節<br>さば節・まいわし・油揚げ<br>甘みそ・生わかめ<br>糸引き納豆・焼きのり<br>しらす干し | 米・あわ・やまといも<br>かたくり粉・さといも<br>ごま | 日本かぼちゃ・にんじん<br>しょうが・ごぼう・根深ねぎ<br>れんこん |
| 金 | 押し麦入り三分米ごはん<br>秋野菜カレー<br>ころころ豆サラダ<br>納豆 | 脱脂粉乳・いんげんまめ<br>糸引き納豆・焼きのり<br>しらす干し | 米・押し麦・さといも<br>なたね油・ごま・ごま油 | 玉ねぎ・にんじん・りんご<br>にんにく・しょうが・大根<br>ブロッコリー・レモン<br>にら |

# 冬

| | | | | |
|---|---|---|---|---|
| 月 | 小豆入り玄米ごはん<br>めだいのみぞれ煮<br>白菜としめじの和え物<br>さつまいものみそ汁・納豆 | 小豆・ちだい・油揚げ<br>煮干し・甘みそ・麦みそ<br>糸引き納豆・焼きのり<br>しらす干し | 米・小麦・なたね油<br>ごま・ごまペースト<br>さつまいも | 大根・根みつば・にんじん<br>白菜・玉ねぎ・葉ねぎ<br>小松菜 |
| 火 | 大豆入り玄米ごはん<br>おでん<br>納豆 | 大豆・生揚げ<br>みついし昆布・さつま揚げ<br>糸引き納豆・焼きのり<br>しらす干し | 米・じゃがいも・ごま | 大根・緑豆もやし |
| 水 | 黒豆入り玄米ごはん<br>里芋と鶏肉のうま煮<br>吉野汁<br>納豆 | 大豆・鶏もも・木綿豆腐<br>糸引き納豆・焼きのり<br>しらす干し | 米・さといも・なたね油<br>かたくり粉・ごま | にんじん・さやえんどう<br>大根・ごぼう・乾しいたけ<br>葉ねぎ・小松菜 |
| 木 | ひえ入り玄米ごはん<br>さばの梅みそ焼き<br>大根と干し柿のなます<br>えのきのすまし汁・納豆 | まさば・麦みそ・甘みそ<br>生わかめ・糸引き納豆<br>焼きのり・しらす干し | 米・ひえ・焼き麩（ふ）<br>ごま | 大根・かき・にんじん<br>えのきたけ・乾しいたけ<br>切りみつば |
| 金 | ひじき入り粟玄米ごはん<br>餅きびスープ<br>さつまいもとひじきのサラダ<br>納豆 | 干しひじき・糸引き納豆<br>焼きのり・しらす干し | 米・あわ・きび・じゃがいも<br>ごま油・さつまいも<br>マカロニスパゲティ<br>なたね油・ごま<br>ごまペースト | 玉ねぎ・キャベツ・にんじん<br>ブロッコリー・乾しいたけ<br>カリフラワー・干しぶどう<br>ほうれんそう |

# 高取保育園の使用食材購入リスト

| | 店舗名 | TEL | 住所 | 左記住所での購入の可否 |
|---|---|---|---|---|
| 玄米・野菜 | **三坂百菜園** | 092-323-0346 | 福岡県糸島市大字新田292 | ◎ |
| 乾物・粉類・調味料等 | **下司商店** | 092-821-4914 | 福岡市早良区高取2-3-23 | ◎ |
| 豆腐・がんもどき | **荒木豆腐店** | 092-863-9006 | 福岡市城南区長尾4-15-26 | ◎ |
| しいたけ・大豆 | **下郷農協** | 0979-56-2222 | 大分県中津市耶馬渓町大島215-4 | ◎ |
| かつお節・混合節・ちりめん | | | | |
| | **パンタレ** | 092-327-2630 | 福岡県糸島市志摩野北1069 | ◎ |
| しょう油 | **松合食品** | 0964-42-2212 | 熊本県宇城市不知火町松合188 | ◎ |
| 酢 | **㈱庄分酢** | 0944-88-1535 | 福岡県大川市榎津548 | ◎ |
| 油・ごま油 | **鹿北製油** | 0995-74-1755 | 鹿児島県姶良郡湧水町米永3122-1 | ◎ |
| こんにゃく | **安部商店** | 0955-56-7617 | 佐賀県唐津市浜玉町横田上708 | ◎ |
| 天然酵母パン | **ムーンテーブル** | 092-526-8500 | 福岡市中央区平尾1-7-16 | ◎ |
| みかん・梅 | **柑子園** | 092-809-2503 | 福岡市西区大字草場 | ◎ |
| 豆類 | **上野商店** | 092-821-2625 | 福岡市早良区西新5-2-40 | ◎ |
| 切り干し大根 | **早良更生園** | 092-804-7251 | 福岡市早良区重留29-17 | ◎ |
| みそ | **椛島商店** | 0944-63-3545 | 福岡県みやま市瀬高町上庄17 | ◎ |

# 無農薬の玄米が買える農家

資料／西日本新聞社「食卓の向こう側」取材班

地域の暮らしと環境を守ろうと、おいしくて安心な無農薬米や赤米、雑穀などを生産しているお百姓さんです。掲載しているのは地域のリーダー的な方ですが、お百姓さん同士のネットワークで、お近くのお百姓さんを紹介することも可能です。遠くの親戚より、近くの農家。ぜひ、近くのお百姓さんと友だちになって、「食卓の向こう側」にある農業を支えてください。

| 店舗・グループ名 | TEL | 住所 | ホームページアドレス　※http://を省略 |
|---|---|---|---|
| 八尋 幸隆（むすび庵） | 092-929-4001 | 福岡県筑紫野市針摺中央2-4-12 | musubiann.web.infoseek.co.jp |
| 古野 隆雄（古野農場） | 0948-65-2018 | 福岡県嘉穂郡桂川町寿命824 | www.aigamokazoku.com |
| 藤瀬 新策（環境稲作研究会） | 092-323-6738 | 福岡県糸島市神在936 | |
| 進 三剛 | 0930-33-2761 | 福岡県京都郡みやこ町光富818-1 | |
| 椿原 寿之（山村塾） | 0943-42-4300 | 福岡県八女市黒木町笠原9836-1 | www.h3.dion.ne.jp/~sannsonn/ |
| 日髙 一雄（日髙農園） | 0947-28-2368 | 福岡県田川郡福智町市場2028 | |
| 立花 智幸 | 0947-28-4398 | 福岡県田川郡福智町市場694 | |
| 中村 明 | 0947-42-1259 | 福岡県田川郡川崎町池尻817 | |
| 松熊 秀二 | 0948-42-2752 | 福岡県嘉麻市漆生2520 | |
| 井本 弘毅（農家民泊 百姓の館） | 0946-22-9437 | 福岡県朝倉市屋永2911 | |
| 畠中 兼雄（筑前飯塚宿たまご処 卵の庄） | 09496-2-6844 | 福岡県飯塚市佐与1709-2 | www.rannoshou.com |
| 三宅 貞行（三宅牧場「まきば」） | 092-926-4353 | 福岡県筑紫野市大字常松2 | www.miyake-farm.com |
| 中島 宗昭（中島農産） | 0944-32-0075 | 福岡県三潴郡大木町三八松324 | |
| 友添 信之 | 0944-73-5521 | 福岡県柳川市三橋町吉開28 | |
| 中島 秀虎 | 092-806-1782 | 福岡市西区千里402-2 | |
| 筋田 靖之（筋田農園） | 093-293-2975 | 福岡県遠賀町上別府1683 | sujita.chu.jp |
| 伊藤 武弘 | 0943-75-4330 | 福岡県うきは市吉井町宮田544-5 | |
| しんNewグァーグァー市場 | 0949-22-6965 | 福岡県直方市下新入29-1 | |
| 渡辺 明人（わたなべ百姓） | 0968-27-1238 | 熊本県菊池市原立門4289 | |
| 吉井 和久 | 0966-69-0672 | 熊本県水俣市古里1245 | |
| 愛林館 | 0966-69-0485 | 熊本県水俣市久木野1071 | airinkan.org/ |
| 萬田 正治 | 0995-59-2854 | 鹿児島県霧島市溝辺町竹子1408-1 | |
| 菅野 芳秀（NPOレインボープラン「虹の駅」） | 0238-84-3196 | 山形県長井市寺泉1483 | |
| 金沢米店 | 03-3872-8844 | 東京都台東区入谷1-24-1 | www.shindofuji.com |

各連絡先は平成24年2月時点の情報をもとにしています。

# 玄米が買える自然食品店・宅配・産直グループ

資料協力／九州産直クラブ

宅…宅配グループ　小…小売店

| | 店舗・グループ名 | TEL | 住所 | ホームページアドレス<br>※http://を省略 |
|---|---|---|---|---|
| 宅 | おきたま産直の会 | 0238-57-4656 | 山形県東置陽郡高畠町露藤1960 | |
| 宅 | 大地を守る会 | 0120-158-183 | 千葉市美浜区中瀬1-3幕張テクノガーデンD棟21階 | www.daichi.or.jp |
| 宅 | 有機野菜の宅配 ビオ・マルシェ | 048-434-5420 | 埼玉県戸田市新曽1913 | |
| 小 | ビオ・マルシェ浦和仲町店 | 048-824-4636 | 埼玉県さいたま市浦和区仲町2-10-20 | |
| 小 | ビオ・マルシェ大宮高島屋店 | 048-631-1188 | 埼玉県さいたま市大宮区大門町1-32 | |
| 宅 | らでぃっしゅぼーや | 0120-831-375 | 東京都港区芝公園3-1-13アーバン芝公園5階 | www.radishbo-ya.co.jp |
| 小 | マザーズ多摩センター三越店 | 042-357-2858 | 東京都多摩市落合1-46-1三越多摩センター店B1階 | |
| 小 | マザーズ小学館すずらん通りビル店 | 03-3294-4570 | 東京都千代田区神田神保町1-15-2小学館すずらん通りビル1階 | |
| 小 | つぶつぶショップ | 089-908-8842 | 愛媛県松山市南江戸4-8-8-1階 | www.tsubutsubu-shop.jp |
| 小 | 長本兄弟商会 | 03-3331-3599 | 東京都杉並区西荻南3-15-3 ICビル1階 | |
| 小 | グルッペ 吉祥寺店 | 0422-20-8839 | 東京都武蔵野市吉祥寺東町1-25-24 | www.gruppe-inc.com |
| 小 | 自然村 | 03-5927-7787 | 東京都練馬区関町北2-33-12関町フラッツ | |
| 小 | マザーズ藤が丘店 | 0120-935-034 | 神奈川県横浜市青葉区藤が丘2-5 | |
| | マザーズベーカリー藤が丘店 | | | |
| 小 | マザーズたまプラーザ東急SC店 | 045-902-9581 | 神奈川県横浜市青葉区美しが丘1-7たまプラーザ東急百貨店B1階 | |
| 宅 小 | あいのう流通センター | 052-801-5643 | 愛知県名古屋市天白区井口2-903 | www.ainou-c.co.jp |
| 宅 | ポラン広場の宅配 ポカラ | 0568-34-0775 | 愛知県春日井市長塚町1-41 | www.pofa.jp |
| 宅 | にんじんCLUB | 0568-71-4114 | 愛知県小牧市中央2-246 | www.ninjinclub.co.jp |
| 小 | エナジィ・ママ | 075-431-5005 | 京都市上京区新町通一条上ル一条殿町483-2 | www.energy-mama.shop-site.jp |
| 宅 | 関西よつ葉連絡会 | 072-630-5610 | 大阪府茨木市稲葉町4-5 | www.yotuba.gr.jp |
| 宅 | 安全な食べものネットワーク オルター | 0721-34-2600 | 大阪府富田林市西板持町2-3-5 | www.alter.gr.jp |
| 小 | ムスビガーデン | 06-6945-0618 | 大阪市中央区大手通2-2-7 | |
| 宅 | ビオ・マルシェの宅配 関西地区 | 06-6866-1456 | 大阪府豊中市名神口1-8-1 | biomarche.jp |

| | 店舗・グループ名 | TEL | 住所 | ホームページアドレス<br>※http://を省略 |
|---|---|---|---|---|
| 宅 | ふるさとコープ | 0736-67-0556 | 和歌山県紀の川市竹房780 | |
| 宅 | ばんじろう村生産加工 | 0736-67-0511 | 和歌山県紀の川市竹房780 | www.banjiro-mura.jp |
| 小 | ビオ・マルシェ 甲東園店 | 0798-53-5455 | 兵庫県西宮市松籟荘7-22 | |
| 宅 | ビオ・マルシェの宅配 広島地区 | 0829-36-1081 | 広島県廿日市市地御前1-27-14 | biomarche.jp |
| 宅 | 九州産直クラブ | 092-567-8350 | 福岡市南区桧原6-18-3 | www.sancyoku-club.com |
| 宅 | ビオ・マルシェの宅配 福岡地区 | 092-611-5461 | 福岡県福岡市東区原田4-17-13 | biomarche.jp |
| 宅 小 | サニーサイド | 092-681-0883 | 福岡市東区舞松原1-8-17 | |
| 小 | オーガニックハウス夢広場 長丘店 | 092-551-6773 | 福岡市南区長丘1-20-4 | www.yumehiroba.org |
| 小 | オーガニックハウス夢広場 マリナ通り店 | 092-895-6860 | 福岡市西区豊浜2-3-4 | www.yumehiroba.org |
| 小 | 産直や 蔵肆（くらし） | 0942-21-3130 | 福岡県久留米市国分町296-1 | www.kurashi.jp |
| 小 | 玄米食 おひさま | 0952-28-7883 | 佐賀市柳町4-3 | ohisama.esaga.jp |
| 小 | 口之津自然食品センター | 0957-86-3500 | 長崎県南島原市口之津町丙2003-1 | www.yuutopia.jp<br>（「雄とピア」ホームページ） |
| 小 | こころ広場 | 097-537-1193 | 大分市東春日町3-24 | www16.ocn.ne.jp/~kokoro87 |
| 宅 | くまもと有機の会 | 096-281-7355 | 熊本県上益城郡御船町小坂1259-2 | |
| 小 | マクロビオティックセンター熊本 天粧 | 096-343-4043 | 熊本市東子飼町3-5子飼商店街中央 | |
| 小 | かごしま有機生産組合直営店 地球畑 西田店 | 099-259-6089 | 鹿児島市西田2-6-19 | www.chikyubatake.jp |
| 小 | かごしま有機生産組合直営店 地球畑 荒田店 | 099-812-0668 | 鹿児島市下荒田3-17-1 | www.chikyubatake.jp |
| 小 | かごしま有機生産組合直営店 地球畑 谷山店 | 099-822-1055 | 鹿児島市東谷山5-27-3 | www.chikyubatake.jp |
| 小 | かごしま有機生産組合直営店 地球畑カフェ にじのたね | 099-222-6088 | 鹿児島市城山町1-6 MPC学園1F | www.chikyubatake.jp |
| 小 | かごしま有機生産組合 | 099-282-6867 | 鹿児島市五ヶ別府町3646 | www.chikyubatake.jp |
| 小 | 自然食品の店 やさい村 | 099-244-8061 | 鹿児島市吉野町2390-1 | www.rakuten.co.jp/yasaimura |

資料協力／ゆうエージェンシー

生活クラブ連合会
（生活クラブ事業連合生活協同組合連合会）
03-5285-1771
東京都新宿区新宿6-24-20 6階
www.seikatsuclub.coop

各連絡先は平成24年2月時点の情報をもとにしています。

# ゼロから始める玄米生活

## 高取保育園の食育実践レシピ集


監修・協力　高取保育園（社会福祉法人 福栄会）
福岡市早良区昭代2-10-12　電話092-831-4162

ディレクター　安武信吾
編　集　末崎光裕（詠人舎）
デザイン　末崎光裕
写　真　水崎浩志（ループフォトクリエイティブ）
スタイリング　大庭美保
編集アシスタント　中尾由香梨
営　業　笠崎香世
うつわ協力　川本太郎、大庭美保
商品協力　博多大丸・福岡天神店



本書に関する感想、意見をお寄せください。
〒810-8721 西日本新聞社事業局出版部
FAX：092-711-8120
メール：syuppan@nishinippon.co.jp



発行日　平成18年8月4日　第1刷発行
平成25年4月4日　第9刷発行

発行人　川崎 隆生
発行所　西日本新聞社
福岡市中央区天神1の4の1
092-711-5523（出版部）
http://nishinippon.co.jp/
印　刷　青雲印刷

ISBN978-4-8167-0697-4 C0377